© 2014, *l'école des loisirs*, Paris,
pour l'édition en langue française.
© 2013, Edward D. Bunting et Anne E. Bunting
Family Trust pour le texte
© 2013, Nancy Carpenter pour les illustrations
Titre original: "Big Bear's Big Boat",
Clarion Books, un département éditorial de
Houghton Mifflin Harcourt Publishing Company, Boston.

Texte français de Claude Lager

Loi 49 956 du 16 juillet 1949,
sur les publications destinées à la jeunesse.
Dépôt légal : septembre 2014
ISBN 978-2-211-21627-2

Typographie: *Architexte*, Bruxelles
Imprimé en Belgique par *Daneels*

Le grand bateau
de Grand Ours

Pour Sloan, mon fils marin
EB

Pour Tanya
NC

Le grand bateau
de Grand Ours

Texte d'Eve Bunting
illustrations de Nancy Carpenter

Pastel
l'école des loisirs

Devenu trop grand pour son petit bateau,
Grand Ours l'a donné à Petit Ours.
Maintenant, il se construit un grand bateau,
 pour lui.

«Je voudrais qu'il soit exactement
comme mon petit bateau mais en plus grand»,
explique Grand Ours à sa maman.
Sa maman sourit :
«Tu aimais ton petit bateau et maintenant
Petit Ours l'aime aussi, n'est-ce pas ?
Eh bien toi, tu aimeras ton nouveau bateau
autant que tu aimais l'ancien.»
«J'espère !» répond Grand Ours.

Il travaille dur et, bientôt,
son grand bateau est terminé.
«Tu es exactement comme je t'imaginais
en rêve», dit-il tendrement.

Grand Ours s'apprête à faire glisser
son nouveau bateau sur le lac
quand arrive le castor. «C'est vraiment
un très beau bateau, constate-t-il,
mais un grand bateau comme ça
a besoin d'un mât.»

«Tu as peut-être raison», dit Grand Ours.

Il fixe un mât à son bateau et y attache une voile.
Une loutre sort la tête de l'eau: «Un beau grand bateau
comme ça doit avoir un pont supérieur, dit-elle.
Tous les grands bateaux ont un pont supérieur.
Tu pourras t'y asseoir pour observer le coucher
du soleil sur le lac et voir la lune apparaître.»

«Tu as peut-être raison», dit Grand Ours.

Et il construit un pont supérieur qu'il cloue
sur son grand bateau. Un héron bleu traverse le ciel.
«Quel beau grand bateau ! s'exclame-t-il.
Mais tu as besoin d'une cabine pour dormir dedans.
Tous les grands bateaux ont une cabine.»

«Tu as peut-être raison», dit Grand Ours.

Et il fabrique une cabine
qu'il installe sur son grand bateau.
Puis, il recule de quelques pas et regarde.
«Oh! Quel horrible grand bateau!
Le mât penche, le pont gondole
et la cabine est toute de guingois.»

Grand Ours sait très bien ce qui ne va pas.
Mais il ne veut pas vexer ses amis. Il réfléchit.

«Vous avez tous voulu m'aider, dit-il,
et je vous en remercie. Mais je suis toujours
le même ours. Sauf que je suis plus grand.
Ce bateau n'est pas celui dont je rêvais.
Et un ours ne doit jamais renoncer à ses rêves.»

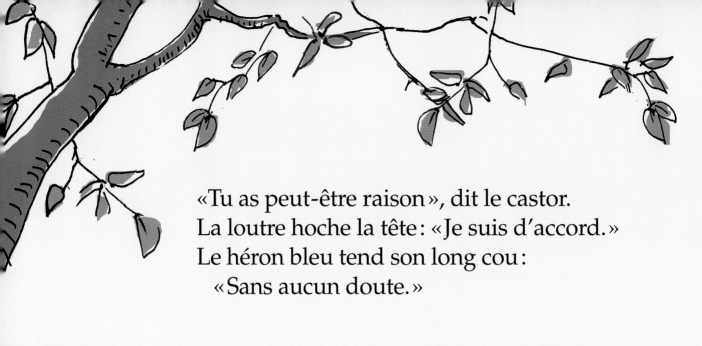

«Tu as peut-être raison », dit le castor.
La loutre hoche la tête : «Je suis d'accord. »
Le héron bleu tend son long cou :
      «Sans aucun doute. »

Grand Ours retire le mât
qui penchait et le pont
supérieur qui gondolait.
Il enlève la cabine
toute de guingois…

et sourit à son grand bateau.

Ensuite, il le laisse glisser sur l'eau
et il fait le tour du lac.

À bord de son grand bateau,
Grand Ours pêche des poissons.

Quand le soleil brille, il se couche, ferme les yeux
et écoute les secrets que lui chuchote l'eau du lac.

La nuit tombée, il observe le soleil
qui se couche sur le lac et la lune qui apparaît.

Parfois,
une étoile filante traverse le ciel.

Un jour, Grand Ours
croise Petit Ours dans son petit bateau.
Petit Ours lui fait un signe
et Grand Ours lui répond.

Quelle chance nous avons d'être nous,
se dit Grand Ours. Deux ours bruns
dans deux beaux bateaux,
qui voguent sur un lac tout bleu.

Il est très heureux.